Rock&Rose

Pour Sana,
Qui aura le
dernier mot tu
penses ?
Marie hélène Porthos

MARIE HÉLÈNE POITRAS

EPIZZOD.COM

NUMÉRO 04 | 22 JUIN 2009

Rock & Rose

Illustrations de
Joanna Czadowska

la courte échelle

Le dernier mot

S imone et Juliette s'assoient en silence sur la banquette arrière; elles n'ont plus le cœur à rire. Le conducteur s'installe au volant, verrouille les portes et démarre en trombe.

— J'ai mal au cœur... Je vais être malade! s'écrie Juliette. Stop!

Comme si ce n'était pas déjà assez, *Come As You Are* de Nirvana joue à CHOM.

— Ah non! proteste-t-elle. J'ai eu ma dose de rock crotté pour aujourd'hui. Même les analyses de hockey à CKAC me tenteraient plus. J'ai les oreilles en sang!

— Heille, t'es ben chialeuse, grogne le conducteur. C'est moi qui décide, ici.

Plutôt que de s'engager sur le boulevard,

la voiture se dirige vers les petites rues périphériques, là où pas une âme ne veille.

Il se fait tard ; l'horloge affiche deux heures quarante-sept.

Simone se tient tranquille tandis que Juliette bâille à s'en décrocher la mâchoire.

— Vas-tu finir par enlever ta cagoule ? s'informe-t-elle au bout d'un moment. Avec tes gants de cuir en plus, t'as l'air d'un maniaque.

— Le volant est gelé pis j'ai froid aux oreilles. As-tu un problème avec ça ?

— Coudon, t'es ben bête, à soir.

La voiture ralentit et se range sur l'accotement, à deux pas d'un fossé. Carl éteint la radio et se tourne vers les filles :

— Vous étiez étendues dans la neige, tout près du bar des motards, là où se font les *deals* de dope. C'est le coin le plus louche du quartier ! J'ai cru qu'on vous avait abattues. Ensuite, je t'ai entendue rire, Juliette.

— Qu'est-ce que tu faisais là, au juste ? Tu nous espionnes maintenant ?

— Je venais de stationner l'auto pas trop loin et je m'en allais au Ch'val. Ju, t'es pas correcte ! Je pensais que vous écoutiez des films d'horreur à la maison. S'il vous arrivait quelque chose, maman me le pardonnerait jamais. Elle m'a dit de t'avoir à l'œil... T'as l'air particulièrement douée pour te foutre dans le pétrin ces temps-ci.

— On s'excuse, Carl, lance Simone d'une voix éraillée.

— Vous auriez pu me dire que vous sortiez, je vous aurais mises au courant de ce qu'il faut éviter. Si les policiers préparent une descente, par exemple. Vous auriez l'air fin si vous vous faisiez prendre, hen ?

— Ouin, c'est pas fort, convient Juliette. On s'excuse, grand frère.

— La prochaine fois que vous retournez au Ch'val, faites-moi signe pis je vais m'arranger pour être là.

Le lendemain, Simone est tirée du sommeil par *Womanizer* de Britney Spears qui joue, le volume au maximum. Au menu : mal de cheveux, haleine du diable et mauvaise humeur.

Hélène est encore chez Norbert.

Agressée, elle traîne sa carcasse jusque dans la cuisine où Juliette, drapée dans une robe de chambre de peluche rose, lit les potins de Hollywood dans le journal.

— T'es pas sérieuse, lance Simone en se massant les tempes. T'écoutes pas Britney pour vrai?

— Oh! je connais quelqu'un qui a besoin d'un café fort...

— Éteins la radio, je t'en supplie.

— Pas question! Je me suis tapée tes bands de *pouèls* toute la soirée. Ce matin, c'est moi, la D.J., déclare Juliette avant de se diriger vers l'îlot chromé où trône la radio.

Elle monte le son.

— Viens pas me dire que ça te plaît! C'est formaté à mort. Degré zéro de l'originalité.

— Quoi? J'entends rien, j'ai une banane dans l'oreille, ricane Juliette.

Hors d'elle, Simone débranche la mini-chaîne Bang & Olufsen:

— Ta musique, c'est de la schnoutte!

Juliette a peu dormi et se sent à fleur de

peau. Blessée dans son orgueil, elle sort les griffes :

— Pis Springmud, tu penses que c'est quoi ? Ouvre-toi les yeux avant de faire la morale aux autres !

— Ah ben, si c'est d'même...

Simone quitte la cuisine en claquant la porte.

— Bon débarras ! crie Juliette.

Simone avance péniblement dans la neige. Les employés de la ville n'ont pas encore eu le temps de déblayer les rues. Juliette peut être tellement immature quand elle s'y met !

Dans son emportement, Simone a chaussé une de ses bottes d'armée et un bottillon de cuir italien appartenant à son amie. Ridicule.

La porte de la maison des Leclair est verrouillée ; Simone n'a pas sa clef. Suzanne et Jacques sont au cours de patin artistique de Charlotte et Nicolas dort comme une bûche au sous-sol. « Ah misère ! La journée commence mal ! » Les abonnés de *La Presse* vont recevoir leur journal en retard...

— Oui allô ?

— Bonjour. François Paré, s'il vous plaît.

— C'est moi.

— Salut, c'est Juliette Rousseau-D'Argent. On s'est parlé d'un *shooting* photo hier, au Ch'val fou. Tu m'as dit de t'appeler...

— Ah oui ! Je te replace. La gazelle blonde qui buvait du scotch, c'est ça ? T'es partie vite.

— Ouin, je sais.

— Demain après-midi, ça t'irait ?

Juliette est surprise que ce soit aussi rapide et facile.

— Comment ça va se passer, au juste ?

— Simple échange de services : je t'aide à monter ton portfolio, pis toi, tu me sers de modèle pour une expo.

— Ça me semble juste.

— Apporte deux ou trois tenues et pointetoi vers deux heures, au 139, rue de l'Église. Je suis au quatrième étage. Ça te va ?

— Oh oui ! À demain.

— *Ciao*, Bella.

Normalement, Juliette appellerait Simone pour partager son enthousiasme avec elle, mais son amie se prend un peu trop au sérieux à son goût ces temps-ci. « Ta musique, c'est de la schnoutte... » L'insulte lui fait encore mal.

Simone vient de condamner son passage à l'émission *La prochaine Sweet Cherry*, on dirait. Comme si Springmud était mieux !

Elle met son ordi en marche, surfe un brin sur ses blogues préférés. Puis elle pianote victimedesmodes.blogspot.com. La souris rose aux yeux en X ne la représente plus. Le titre de son blogue non plus, d'ailleurs.

Une demi-heure plus tard, l'image d'une botte haute couture turquoise écrasant une cerise accueille tout internaute qui se rend sur le Fashionista.qc.ca. Repose en paix, Victime des modes !

Après une sieste en après-midi, une douche et un morceau de lasagne maison bien gratinée, Simone a rechargé ses batteries.

— Couvre-feu à minuit, lui rappelle sa mère du salon pendant que Simone enfile son manteau dans l'entrée.

Si elle savait ce qui s'est passé hier!

Ses parents et Charlotte sont installés sur le sofa, devant une montagne de maïs soufflé et le dernier *Harry Potter*.

— Attention au maniaque, la prévient Charlotte. Je l'ai vu, l'autre jour. Il a les dents croches et un œil de pirate. Il fait sa marche chaque soir vers sept heures.

— Si je l'aperçois, je lui lance une balle de neige de ta part. Promis!

— T'as pas envie de venir t'écraser avec nous? propose Suzanne. Il me semble que t'es pas mal sur la trotte, ces temps-ci.

Avec toutes ses histoires, Simone s'est un peu éloignée des siens dernièrement.

Son père paraît préoccupé par son emploi, voire débordé, et sa mère... Elle a l'air fatigué. On dirait qu'elle a besoin de vacances

ou de soleil. Ils ont la tête ailleurs ; c'est proba-
blement pour ça qu'ils la laissent aussi libre.

L'hiver est impitoyable, cette année. Tout
le monde en a ras le pompon des tempêtes qui
s'abattent sur la province.

Simone sautille en attendant l'autobus.
Comme il lui manque une botte, elle porte ses
Converse et gèle déjà des pieds.

Elle fait glisser son pouce sur son iPod
et arrête son choix sur *Montréal −40 °C* de
Malajube. *Montréal t'es tellement froide, une ourse
polaire dans l'autobus. Papapapapadapada.*

L'image d'Éric lui traverse l'esprit. Son
cœur se serre. Elle monte le son : *Je passe sous
silence ton arrogance, tu gardes le rythme, tu me mets
en transe.*

L'autobus la dépose à deux pas du local
de répétition.

SAMEDI 21 FÉVRIER

De retour !

Hello, fans fidèles, admirateurs secrets, passionnés de mode et de beauté.

Après ma mésaventure avec les Sweet Cherries, je me suis terrée dans ma cachette et j'ai vomi toutes les cerises que j'avais dans le corps.

Désolée si je vous ai déçus, lecteurs et lectrices du Victime des modes. Dans toute cette histoire, j'ai au moins appris une chose : si on veut évoluer, il faut se mettre en danger. Mais parfois, on tombe de haut, sans filet de sécurité pour amortir sa chute...

C'est ce qui m'est arrivé. Je suis tombée en pleine face et je me suis cassé l'orgueil.

J'ai pris du temps pour moi, j'ai pansé mes plaies. Ce qui ne nous détruit pas nous rend plus fort ; j'ai lu ça dans un des livres de psycho pop de ma mère. Me revoici plus forte que jamais et prête à relever un nouveau défi : devenir mannequin.

Faire des annonces de fond de teint *cheap* et de crème anti-acnéique ne m'intéresse pas. J'ai les mensurations requises pour les défilés de haute couture, alors pourquoi me contenterais-je de moins ?

Je prépare mon portfolio (*book* dans le jargon du métier) et ensuite je vais contacter les recruteurs des agences de Paris et New York... Rome, ça serait encore mieux. Mais une chose à la fois.

Premier shooting demain après-midi. Je vous en reparle dès mon retour.

Élégamment,

Juliette

Cette fois, Juliette décide de ne pas activer la fonction «commentaires». Y en marre de devoir justifier toutes ses entreprises aux yeux de lâches «anonymes» insatisfaits de leur existence.

Simone n'en revient pas ! Éric se comporte comme si rien ne s'était passé, la veille, au Ch'val fou.

Ce matin, tandis qu'elle rêvassait en repensant au baiser fiévreux qu'il a déposé sur ses lèvres, il planchait sur une compo intitulée *Suburban Chicks*, *Pitounes de banlieue* en français, une toune macho qui parle de filles faciles et sans envergure.

Simone pince les cordes de la basse prêtée par Charles, sur laquelle ont été apposés des autocollants de groupes qu'elle déteste : Blink 182, Fall Out Boy, Tokio Hotel.

Elle ne reconnaît pas cette grande fille soucieuse que reflète la fenêtre.

— La basse, ça se porte plus bas qu'une guit', Simone, lui reproche Éric en ajustant sa bandoulière.

Rêve-t-elle ou vient-il de lui effleurer la taille ? Elle cherche son regard sans le trouver. Commence à se demander si elle a imaginé la scène du *french kiss*.

Une seule personne pourrait l'aider à démêler ce qui se passe. Mais la spécialiste réputée des opérations à cœur ouvert est occupée à se polluer les oreilles avec de la pop guimauve...

Dès la fin de la répétition, Simone ramasse son sac, met son manteau et se dirige vers la porte sans dire un mot. Éric l'intercepte :

— Hey, hey! Pas si vite, rock star! Tu t'en vas où?

— Boire une bière au Ch'val, répond-elle comme si cela faisait partie de ses habitudes.

— Il est pas un peu tôt? J'aurais aimé avoir tes commentaires sur ma toune.

— Ta chanson, c'est de la schnoutte. Si tu veux plus de détails, tu sais où me trouver.

Les notes de *Neighborhood #2* d'Arcade Fire résonnent jusque dans l'escalier du Ch'val fou. Cette pop orchestrale évoquant une intensité rock à la Bowie fait palpiter quelque chose chez Simone.

Elle pense à Régine Chassagne, chanteuse et multi-instrumentiste d'Arcade Fire. Cette fille n'a rien d'accessoire. C'est même une figure de proue de la formation, avec le chanteur Win Butler, son mari.

«Prendre mon trou, c'est pas mon genre, s'indigne Simone. Qu'est-ce que je pourrais bien faire pour éviter que la situation empire?»

Elle montre ses cartes, paye son entrée et se dirige vers le bar. Cette petite virée lui demande du courage, mais être seule ce soir s'avère plutôt agréable.

Les aiguilles lumineuses de l'horloge indiquent vingt et une heures trente-cinq. Il n'y a presque personne. Elle commande un 7UP et réprime un petit fou rire en songeant à tous les cocktails colorés que Juliette leur a achetés hier par pure coquetterie. Bon, quoi faire maintenant pour se donner une contenance ?

Elle glisse un dollar dans la machine à pinottes au barbecue. *Montréal –40 °C* commence à jouer ; Simone en avale sa cacahouète de travers.

Elle lorgne la cabine un peu surélevée du D.J. D'en bas, on voit de grands yeux bleus et un mohawk écrasé par le cerceau des écouteurs. Intriguée, elle avance vers ce fin mélomane qui partage ses goûts musicaux.

Une heure plus tard, Simone est aux platines, aussi concentrée que pour un examen de maths. Elle enfile les tubes de Numéro#, Chromeo et Metronomy. Elle hésite entre enchaîner avec Justice ou M.I.A. et sollicite l'aide de Mathias, son nouvel ami.

— T'as de bons réflexes. Tu choisis des tounes qui se fondent bien les unes dans les autres. Mais avant d'y aller avec les gros hits, attends que la place se remplisse un peu plus.

— Vers quelle heure?

Simone regrette aussitôt d'avoir laissé voir qu'elle n'est pas une habituée.

— Coudon, t'as quel âge, toi? s'informe Mathias.

— Ben là, franchement! Toi?

— Vingt-quatre.

— Ben moi, j'ai dix-huit ans, mais j'ai l'air plus jeune, invente Simone. D'ailleurs, je me fais souvent carter.

— Ouin, mettons. Vers minuit et demi, une heure, tu sors les morceaux plus *up beatés*, tu me suis? Les gens sont réchauffés et tout le monde se précipite sur la piste de danse.

— C'est logique, répond-elle, grisée par cette initiation.

— Oublie pas qu'être D.J., c'est pas seulement mettre des tounes qui déchirent. Faut que tu piffes la foule. T'accompagnes les gens, pis quand ils embarquent un peu dans ton *set*, tu leur sers une pièce à laquelle ils pourront pas résister. Ils finissent par te prendre pour un dieu!

Un groupe bruyant fait une entrée remarquée. Simone lâche un moment les mille et un boutons de la console et lève les yeux. Elle tressaille: un des gars porte un chapeau de cow-boy rouge.

— Ça va? demande Mathias. T'es blême tout à coup.

— Non, non, je suis correcte. Me permets-tu de choisir la prochaine toune?

— OK, miss!

Simone attrape l'album *Doolittle* des Pixies, le glisse dans le lecteur et sélectionne *Here Comes Your Man*. Trois clients s'avancent sur la piste de danse.

— Cool, j'adore les Pixies! approuve Mathias. Je vais pouvoir enchaîner avec les Yeah Yeah Yeahs, pis les Strokes.

Bien à l'abri dans la cabine de D.J.,

Simone observe les allées et venues d'Éric. Il paye sa bière et se dirige droit vers elle.

—   Ouan, t'es pas mal fraîche dans ton *booth*!

—   Ah, salut, Éric! lance-t-elle, faussement surprise.

—   Comme ça tu te tiens avec le D.J.?

—   Ouaip! Mathias me montre comment mixer.

—   Je peux faire une demande spéciale?

Les leviers du pouvoir viennent de changer de main.

—   Essaie toujours, répond Simone, sourire en coin.

—   Euh, Springmud?

—   Hummm... Je pense pas, non. Premièrement, je suis en conflit d'intérêt. Deuzio, notre e.p.* est super mal enregistré et ça paraîtra encore plus dans des gros haut-parleurs.

—   Ouan, tu prends ça au sérieux!

—   On peut dire ça.

—   Bon, ben, faut que j'aille rejoindre du monde, bredouille Éric. Bye, Simone.

* Mini-album comprenant en général de cinq à sept chansons.

En regardant Éric s'éloigner, elle se sent à la fois délaissée et victorieuse. L'horloge indique vingt-trois heures vingt-quatre. Pour respecter le couvre-feu décrété par sa mère, elle doit être à l'arrêt d'autobus dans six minutes.

— Bon, ben, Mathias, avant que mon carosse se transforme en citrouille et mon prince en crapaud, je vais y aller.

Dans l'autobus, Simone rit encore dans sa barbe. En moins de deux minutes, elle a récolté une invitation à accompagner Mathias à son D.J. *set* aux Foufounes électriques, un bar montréalais que Carl a souvent qualifié d'ancien temple de l'underground, en plus de la jalousie d'Éric qui ignore que Mathias aime les garçons.

Elle commence à comprendre comment tourner le petit jeu d'Éric à son avantage. C'est maintenant un à un.

Est-ce que l'amour est toujours aussi compliqué? s'empresse-t-elle de noter dans son journal dès son arrivée à la maison.

Est-ce une chasse jusqu'à ce qu'un des deux se sente piégé et que l'autre le dévore tout cru ? Est-ce que c'est vraiment ça, l'amour ?

Le dimanche après-midi, Juliette entre au 139, rue de l'Église, un édifice situé non loin du Ch'val fou, qui abrite plusieurs lofts et petits bureaux avec vue sur la rivière et la marina.

Un monte-charge transformé en ascenseur la mène au quatrième dans un concert de grincements. François Paré, photographe, partage l'étage avec des éco-designers, une boîte de graphistes et une maison d'édition.

Par la fenêtre du couloir, Juliette s'arrête un moment pour observer la rivière agitée, couleur ardoise, et les monceaux de glace éclatée qu'elle charrie. Un peu apaisée par ce spectacle, elle prend une grande inspiration et appuie sur la sonnette.

— Entre, Gazelle !

Elle entrouvre la porte. Dans le fond du loft, le photographe s'affaire à installer des spots qui chauffent la pièce en diffusant une lumière crue.

Un peu impressionnée, Juliette retire ses bottes abîmées par le calcium en se trouvant grotesque. En tant que mannequin, elle doit désormais surveiller son allure.

— Mon assistante va te préparer un espresso, lance François Paré en fixant un panneau argenté au mur. Tu peux accrocher ton manteau à la patère.

Un paravent chinois divise l'espace en deux. Juliette en déduit qu'au fond du studio il y a un coin pour dormir... ou plus. Un profil grêle dessine une ombre chinoise derrière le paravent. Une jeune femme rejoint Juliette.

— Salut, je m'appelle Lola. Crème et sucre dans ton café ?

— Les deux, s'il te plaît.

Dans l'espace cuisine, Lola s'active autour d'une machine italienne qui fait pschhhhhhit. Le café coule dans une petite tasse de porcelaine bleue.

— Bon, on passe au maquillage ?

Lola n'est ni sympathique ni tout à fait bête. Il se dégage d'elle une aura de désenchantement. Sous la lumière, elle apparaît maigre et cernée.

— T'es mannequin? demande Juliette en se laissant couvrir le visage de fond de teint.

— Ouais, on peut dire ça, répond Lola, énigmatique. Est-ce qu'on s'est déjà rencontrées? Il me semble que je t'ai déjà vue quelque part.

— Ça se peut... J'ai participé à l'émission *La prochaine Sweet Cherry* à Musique Plus.

Lola la détaille de la tête aux pieds. Un brin mal à l'aise, Juliette porte le regard vers François Paré, qui évalue la luminosité ambiante.

— Ah oui, ça me revient. C'est pas toi qui avais joué dans un film porno?

Juliette encaisse le coup sans rien dire. Elle ne veut pas se chicaner avec l'assistante de François Paré.

— Lola, c'est ton vrai nom?

— Non, je m'appelle Berthe pis j'haïs ça, alors je me suis rebaptisée.

— Bonne idée, ça fait romantique.

Lola répond par un ricanement cynique.

— Bon, Gazelle, annonce le photographe, c'est quand tu veux.

Juliette n'en est pas à son premier *shooting*. La promotion de *La prochaine Sweet Cherry* impliquait plusieurs séances du genre. Elle se sent aussitôt à l'aise, secoue un peu les bras et fait craquer ses doigts.

— Je suis prête!

François Paré finit d'ajuster l'objectif. Il paraît lui aussi dans son élément.

— OK, pour commencer, fais-moi ça nymphette.

Juliette incline la tête, regarde de biais et sourit en coin tout en jouant avec l'ourlet de sa robe fleurie. Elle est rayonnante, en pleine possession de ses moyens.

— Wow! Je vois que j'ai affaire à une pro!

Une chimie naturelle s'installe entre le photographe et sa muse. Pour Juliette, l'expérience s'avère beaucoup moins stressante qu'à Toronto, alors qu'une dizaine de compétitrices grinçaient des dents tout autour en souhaitant son élimination.

Elle réagit efficacement aux commandes et s'empresse d'incarner tous les personnages, de rendre toutes les mimiques que suggère le photographe.

— Maintenant, je te veux en star inaccessible. Plus ton *book* est diversifié, plus t'as de chances de décrocher des contrats. Encore plus hautaine et vamp que ça. Parrrrfait! Soulève un peu le menton et fais deux pas vers la droite pour être dans la lumière. OK, stop! Là, je te veux naturelle. Exactement!

Juliette jubile; François Paré remonte ses lunettes.

— Bon, on va faire quelques photos plus dépouillées. Les agences aiment ça. Remets ton jeans et va rejoindre Lola dans la salle d'essayage, elle va te prêter un top.

— Où ça?

Le vêtement en question est une petite camisole blanche très ajustée, à peu près transparente, qui s'arrête en haut du nombril. Juliette hésite à l'enfiler. Le souvenir d'une impudeur chèrement payée lui revient en tête.

— *Come on*, fais pas ta sainte-nitouche, soupire Lola, exaspérée. Si tu veux faire des défilés, t'es mieux de t'habituer ; tout le monde est quasiment à poil, *backstage*. T'as une couple de livres en trop, mais t'as un beau corps. Sois pas gênée de le montrer.

Une fois vêtue de la camisole, Juliette se sent transformée. Elle n'est plus cette lolita surexcitée qui saute partout, mais une jeune femme bien dans sa peau, très consciente de son pouvoir de séduction.

— Ooooooh, sexy ! J'aime ça. Ce sont tes meilleures *shots* jusqu'à présent. Lola, tu nous mets un peu de musique, s'il te plaît ? Allume le ventilateur en passant.

Lola disparaît de nouveau derrière le paravent, pareille à une couleuvre qui s'enfuit sous une pierre humide. Une musique faite de rythmes ciselés et de nappes de synthétiseurs futuristes envahit l'espace. Juliette se laisse envoûter par la mélodie, s'installe sous la lumière des spots, visage au vent, puis sourit. Sa longue chevelure blonde lui balaie le dos.

En ce moment, elle est une fleur sauvage au grand soleil d'été.

— Une vraie déesse! s'exclame François Paré. Bon, on s'arrête là pour aujourd'hui. Bravo, Gazelle, t'as bien travaillé.

— Je boirais bien un autre espresso.

Pendant que François Paré range son équipement, Juliette tente de percer le secret de Lola. En vain.

Lola a beau n'avoir que la peau et les os, une chape de plomb colmate tous les accès à son intériorité. Impossible de deviner son âge ou ce qui l'anime, ni de saisir ses liens avec le photographe.

Elle fume cigarette sur cigarette. Quand elle n'est pas occupée à préparer un espresso ou à maquiller un modèle, Lola passe son temps à se grattouiller le nez et le cuir chevelu ou à se ronger les ongles.

Tous ses tics finissent par avoir raison de la patience relativement limitée de Juliette.

— Non mais arrête à la fin, c'est énervant! s'écrie-t-elle excédée.

— Heille, la p'tite, tu me diras pas quoi faire! Des starlettes comme toi, j'en ai vu défiler des dizaines. Mêle-toi de tes oignons.

Lola attrape un magazine et s'applique à ignorer Juliette en feignant de lire.

— Bon, si tu le prends comme ça...

Juliette finit sa tasse de café, remercie François Paré et convient d'une date où la planche-contact sera prête. Elle s'apprête à quitter le studio.

— Non, attends! crie soudain Lola. S'cuse-moi, j'ai été un peu bête tantôt.

Elle tend un papier à Juliette.

— C'est mon numéro de cell si jamais t'as envie de sortir un soir. Ça me ferait plaisir. Je connais presque personne ici...

La main de Lola s'ouvre sur un petit papier chiffonné. Dans le repli de son avant-bras, sur sa peau bleutée, trois trous rouges – des piqûres – sur lesquels elle s'empresse de rabattre sa manche.

Le lundi, à l'école, Simone et Juliette s'évitent du mieux qu'elles le peuvent. Simone se tient avec les gars de Springmud par dépit ou feuillette des encyclopédies de guitares à la bibliothèque, tandis que Juliette papillonne de gang en gang.

Chacune voudrait bien récupérer sa botte, mais a trop d'orgueil pour faire les premiers pas.

Comment se réconciliaient-elles, déjà, à l'époque où elles se chicanaient pour un oui ou pour un non ? se demande Simone.

En général, la dispute éclatait un matin de fin de semaine. D'un geste maladroit, Juliette renversait son verre de jus sur le chandail de Simone, qui l'accusait de l'avoir fait exprès. Ou Simone disparaissait dans la chambre avec Carl pour écouter de la musique, et Juliette piquait une crise de jalousie.

Leur obstination légendaire n'aidait en rien. Il y avait trois répliques possibles : « Oui ! » ou « Non ! » et, de temps en temps, pour varier : « Toi même ! »

Les voisins entendaient Simone crier « Oui ! » et claquer la porte de chez Juliette, ou l'inverse. Puis Juliette l'entrouvrait et hurlait « Non ! » pendant que Simone s'empressait de gueuler « Oui ! » avant que la porte se referme.

Simone la rappelait, lâchait un « Oui ! » retentissant dans le combiné avant de raccrocher et de débrancher le téléphone, satisfaite.

Il y avait une loi tacite entre elles : celle qui avait eu le dernier mot devait amorcer la réconciliation.

Cette fois-ci, qui a eu le dernier mot ? Une fissure musicale a lézardé le ciment de leur amitié. C'est la pop contre le rock, Britney Spears contre Régine Chassagne, un combat absurde.

Simone se demande si les divergences d'opinions entraînées par leurs goûts musicaux pèsent plus lourd dans la balance que l'amitié avec un grand A...

Peut-on être sur la même longueur d'onde que quelqu'un qui n'a pas la même sensibilité que soi ? Décidément, en amour ou en amitié, cette question la hante souvent ces temps-ci.

Plus tard dans la journée, Simone dépose le bottillon de Juliette devant son casier en espérant qu'elle lui rende la pareille. Juliette le trouve et s'empresse d'y enfouir la main, à la recherche d'un petit message. Déçue, elle décide de garder la botte de Simone en otage pour provoquer la discussion.

Malheureusement, Simone interprète la réaction de Juliette comme une marque de désintérêt devant sa tentative de réconciliation.

Le mardi soir, Juliette enfile de longues boucles d'oreilles et applique un baume au melon sur ses lèvres. Elle attend Lola pour aller au cinéma en réfléchissant aux questions qu'elle veut lui poser sur le métier de mannequin.

On klaxonne dans la rue. Bip! Biiip!

— Grand Dieu, qu'est-ce qui se passe? demande Hélène.

— C'est ma nouvelle amie, Lola. Elle est du genre stressé.

Lola appuie à nouveau sur le klaxon et y laisse son doigt, déterminée à ne mettre un terme à l'agression sonore que quand Juliette sortira : Biiiiiiiiiiiiiiiiiiiiiiiiiiiiiip !

— Elle va alerter tout le quartier !

— Bye, Hélène, à tantôt.

Juliette monte dans la voiture.

— Euh, Lola, c'est quoi, l'affaire ? T'as fait *freaker* ma mère.

— T'habites encore chez tes parents ?

— Ben... Oui !

Lola la regarde comme si elle était la dernière des nouilles et roule en direction du cinéma en brûlant tous les feux rouges.

Au cinéma, l'irrésistible odeur de maïs soufflé assaille leurs narines. Juliette s'approche du comptoir en jetant aussi un œil aux bonbons en vrac.

— Petit ou moyen, le pop-corn ? demande-t-elle.

— Es-tu malade? As-tu idée du nombre de calories que ça représente? Ils mettent des tonnes de beurre là-dedans. Tu devrais commencer à couper, toi aussi. François a dû retoucher un peu tes photos parce que t'as un petit bedon.

Juliette essaie d'ignorer l'odeur de beurre chaud et de maïs croquant qui, jusqu'ici, allait de pair avec l'idée qu'elle se fait d'une soirée au cinéma.

— Faut souffrir pour être belle, j'imagine! soupire-t-elle. C'est quoi, ton truc, pour être mince? Boire huit litres d'eau par jour pis couper le *junk food*?

— Ça dépend de combien de temps tu disposes... J'ai quelques trucs rapides pour maigrir si jamais t'en viens là.

Lola se penche vers Juliette et lui chuchote sa recette à l'oreille.

— Yaaaaaaaaark! s'écrie Juliette.

— Tu verras, on s'habitue. C'est pas un milieu facile, t'sais. Faut que tu te démarques du lot. Y a pas de place pour les filles ordinaires en mode.

— As-tu beaucoup de contrats?

— Non, c'est la saison creuse... Je m'organise autrement pour gagner ma vie parce que j'ai pas mal de dépenses.

Lola a choisi un film catastrophe qui ne semble pas l'intéresser outre mesure.

Juliette n'arrive pas à se concentrer sur l'histoire. Le cellulaire de Lola sonne: un concert de «chuuuuuuut» s'élève. Elle quitte la salle.

Au bout d'un moment, Juliette part à sa recherche, en commençant par les toilettes.

— Lola, t'es là?

— OUI, INSPECTEUR!

— Qu'est-ce que tu fous? Je t'attends depuis quinze minutes.

— Entre, j'ai un cadeau pour toi!

Juliette se faufile dans la cabine. Lola a fait neiger un sillon de cocaïne sur un miroir de poche. Elle tend à Juliette un billet de vingt dollars roulé.

— Euh... Pas sûre, pas sûre, Lola.

— *Come on !* Fais pas ta plate. C'est le meilleur coupe-faim. Et le plus agréable.

Juliette hésite. En général, c'est elle qui tente de convaincre les autres de faire des gestes audacieux.

Lola augmente la pression:

— T'sais, ça m'arrive pas souvent de faire des cadeaux aux gens. Je pensais que t'étais une fille cool, dit-elle en s'apprêtant à renifler elle-même la ligne de neige blanche.

— Attends ! Attends !

— Grouille ! J'ai pas toute la soirée, moi ! J'ai un client dans vingt minutes.

— Ah oui ? C'est pas un peu tard pour un *shooting* ?

— Coudon, faut toujours tout t'expliquer, toi ! s'emporte Lola. Ces temps-ci, je fais pas assez de fric avec le *modeling*, alors faut ben que je trouve un autre moyen de ramasser du blé. Moi, ma PME, c'est ma beauté. Est-ce que je dois te faire un dessin ?

— Tu veux dire que tu te...

— C'est pas mal payant. Pis c'est moins chiant que de *flipper* des burgers chez Valentine.

Juliette est estomaquée. C'est une logique à laquelle elle ne peut tout simplement pas adhérer.

Lola vide dans sa main les quelques cristaux qu'il restait dans le sachet et les frotte sur ses gencives à l'aide de son index. Les pupilles complètement dilatées, elle se tourne vers Juliette :

— Bon, te décides-tu ? T'es avec moi ou pas ?

Dans la salle, sur l'écran, une grande ville américaine flambe et les hurlements paniqués d'humains qui s'enfuient parviennent jusqu'à elles.

Le vendredi qui suit, comme prévu, Simone accompagne Mathias au Foufounes électriques. Elle a fait croire à ses parents qu'elle se rendait en ville avec Carl et Juliette...

Simone n'avait jamais vu ce quartier de Montréal la nuit. Entre les néons des *peep shows*, des bars de danseuses et des restos de pizzas à quatre-vingt-dix-neuf cennes de la rue Sainte-Catherine, punks, putes et fêtards s'activent.

Les Foufounes électriques se trouvent dans un bâtiment de trois étages. Une araignée géante en papier mâché grimpe sur la façade.

— Suis-moi, lui lance Mathias, les bras chargés d'une caisse de lait remplie de cd.

Il s'engage dans un escalier de secours à l'arrière du bar, histoire d'éviter la file. Simone s'occupe des vinyles.

En haut, une petite porte lustrée les mène en coulisses jusqu'à la très vaste cabine du D.J. Rien à voir avec celle du Ch'val fou.

— On se croirait aux commandes d'un Boeing 747 ! s'exclame Simone ébahie devant autant de boutons.

Soudain, une grande brune à toupet et aux longs cheveux droits se hisse jusqu'à eux. Simone lui donne environ vingt ans.

— Hey, mister D.J., vas-tu me laisser *spinner* un peu ce soir ? J'ai apporté quelques disques.

— Salut, Nikita ! Je te présente Simone, bassiste de Springmud et future DJette. Simone, Nikita. C'est elle qui anime *Électrochoc* à CISM.

— Enchantée ! J'écoute ton émission de temps en temps. Même si mon truc, c'est plus le rock que l'électro, j'aime bien ce que tu fais jouer. Je peux t'appeler Niki?

— Certainement! répond celle-ci avec un sourire qui révèle un fossé entre les deux dents d'en avant.

En tant qu'assistante du D.J., Simone va quérir les vodkas-canneberges de Mathias au bar, repère les disques pour lui dans la caisse de lait et le remplace lorsqu'il se rend au petit coin.

C'est cent fois plus stressant qu'au Ch'val. D'abord, il y a énormément de monde, et puis il ne s'agit pas de faire jouer du rock indé, mais plutôt de l'électro-trash *hardcore*, ce qui est moins dans les cordes de Simone.

Profitant de l'absence de Mathias, Nikita se faufile dans la cabine:

— On met du Boys Noize, ça va tuer! propose Nikita.

— Si tu le dis.

Elle sélectionne Lava Lava. Instantanément, les gens lèvent le poing dans les airs pour marquer le rythme et sautent, les yeux mi-clos, extasiés.

Mathias revient à la cabine.

— Vends-tu encore des bonbons, Mister D.J. ? demande Nikita sans perdre une minute.

— Il me reste un peu de « e » et une couple de *speeds*.

— Miam, miam.

Simone est bien trop concentrée pour se rendre compte du genre de troc qui s'effectue derrière elle. Un peu plus tôt, en souhaitant glisser un disque dans le lecteur, elle a arrêté sans le vouloir celui qui jouait au beau milieu d'une chanson. Ô panique ! Erreur classique de débutant.

Mathias reprend les commandes et Nikita attire sa nouvelle amie sur la piste de danse. Un gars s'avance vers elles et se met à faire du *breakdancing* avant d'entraîner Nikita dans sa danse.

Celle-ci se débrouille plutôt bien, tandis que Simone s'applique du mieux qu'elle peut à ne pas avoir l'air trop *straight*. La musique électro ne trouve pas d'écho en elle. Pas assez de guitare.

Décidément, avec elle, tout passe par la musique. Elle sourit, ferme les yeux et se laisse gagner par cette rythmique marquée par des boucles tranchantes et répétitives.

Soudain, toutes les lumières s'allument. On est pourtant loin du *last call*. Simone se dirige vers la cabine pour s'informer de ce qui se passe. Mathias arrête la musique lorsqu'une dizaine de policiers flanqués de chiens envahissent la piste de danse.

Sous l'éclairage cru, Simone voit la scène d'un autre œil. Les vêtements sont froissés, certains n'ont pas les yeux tout à fait en face des trous, le maquillage des unes a coulé : les masques tombent un à un.

— Simone, t'as quel âge ? Pour vrai, là, demande Mathias, anxieux.

— Seize ans. Mais j'ai des fausses cartes.

— Non, non, surtout pas ! Le mieux que tu puisses faire, c'est de te faufiler par la petite porte par laquelle on est entrés et de quitter le bar.

— Comment ça ?

— Ce que tu vois là, c'est une descente. Les

policiers vont embarquer les *dealers* et les mineu-
res dans le panier à salade.

— Dans le quoi?

— Dans leur camion! Enwèye, grouille-toi.

Simone commence à comprendre que
l'heure est grave. Elle prend son manteau et jette
un dernier coup d'œil à la scène.

Un berger allemand semble obsédé par
la poche du pantalon de Nikita. Armés de lam-
pes de poches, les policiers passent les cartes
d'identité au peigne fin.

— OK, j'y vais, Mathias.

— Attends, j'ai une petite faveur à te
demander.

— Avec plaisir. Je t'en dois une.

— Peux-tu prendre ça avec toi? Jette-le
dans n'importe quel égout dès que t'arrives
dehors. Niaise pas, hen? Y a de quoi tuer un
cheval, là-dedans.

Mathias lui tend un vieux Ziploc pou-
dreux rempli d'une trentaine de cachets
multicolores.

Elle salue son ami et quitte la cabine.
Retourne en coulisses. Tant de portes fermées

sur des univers qui l'intriguent. Il doit s'en passer des belles derrière ces portes-là.

Simone entend des voix se rapprocher. Elle se met à jogger. Puis à courir. À toute allure.

Dehors, elle entreprend de dévaler l'escalier.

Mais son Converse gauche s'est délacé, Simone trébuche et se retrouve à quatre pattes sur le deuxième palier. « Voyons ! » Elle s'empresse de le rattacher, se relève en regardant bien où elle pose les pieds cette fois. Elle reprend sa course...

Pour foncer droit sur un policier posté en bas des marches.

— Pas si vite, ma petite demoiselle.

Simone repère le « panier à salade » en moins de deux. Des jeunes y montent, menottes aux poignets. Elle lève les yeux au ciel. Cette ville a un bien vilain défaut : il y a tant de lumières qu'on n'aperçoit plus les étoiles.

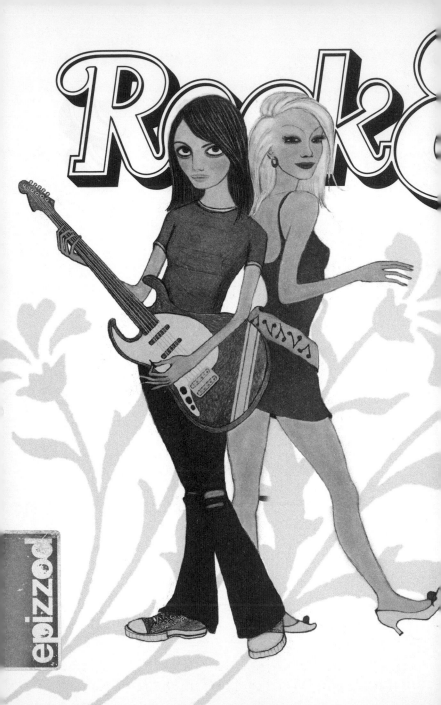

Simone contourne le bâtiment. La lucarne entrouverte laisse s'échapper quelques accords et des bruits de bouteilles. Elle reconnaît la voix d'Éric :

- On pourrait lui faire jouer de la tambourine en jupette...

- Ha! ha! ha! Mini, la jupe!

- Ouais, ça donne quoi d'avoir une jolie fille dans le band, sinon ?

- Je dirais même plus : ça donne quoi d'avoir une fille dans le band si elle est pas cute ! beugle Éric.

Marie Hélène

LA DISCUSSION DE L'HEURE :
Quelle place occupe la musique dans ta vie?
Quel effet a-t-elle sur toi?

LES SÉRIES   LES AUTEURS   CAPSULES

Poitras blogue !

ÉVÉNEMENTS   CONCOURS

Les éditions de la courte échelle inc.
5243, boul. Saint-Laurent
Montréal (Québec) H2T 1S4
www.courteechelle.com

Directrice de collection : Geneviève Thibault

Révision : Sophie Sainte-Marie

Direction artistique : Jean-François Lejeune

Infographie : Nathalie Thomas

Dépôt légal, 2ᵉ trimestre 2009
Bibliothèque nationale du Québec

La courte échelle reconnaît l'aide financière du gouvernement du Canada par l'entremise du Programme d'aide au développement de l'industrie de l'édition pour ses activités d'édition. La courte échelle est aussi inscrite au programme de subvention globale du Conseil des Arts du Canada et reçoit l'appui du gouvernement du Québec par l'intermédiaire de la SODEC.

La courte échelle bénéficie également du Programme de crédit d'impôt pour l'édition de livres — Gestion SODEC — du gouvernement du Québec.

L'auteure tient à remercier le Conseil des arts et des lettres du Québec pour son appui financier.

Catalogage avant publication de Bibliothèque et Archives nationales du Québec et Bibliothèque et Archives Canada

Poitras, Marie Hélène

    Le dernier mot

    (Epizzod)

    (Rock & Rose ; épisode 4)

    Pour les jeunes de 13 ans et plus.

    ISBN 978-2-89651-139-6

    I. Czadowska, Joanna. II. Titre. III. Collection: Epizzod.

PS8581.O245D467 2009   jC843'.6   C2009-941089-3
PS9581.O245D467 2009

Imprimé au Canada

Dans la même série

ROCK&ROSE | NUMÉRO 1 | 11 MAI 2009
Nouveau départ

ROCK&ROSE | NUMÉRO 2 | 25 MAI 2009
La prochaine Sweet Cherry

ROCK&ROSE | NUMÉRO 3 | 8 JUIN 2009
Le parfum des bars la nuit

ROCK&ROSE | NUMÉRO 4 | 22 JUIN 2009
Le dernier mot

ROCK&ROSE | NUMÉRO 5 | 13 JUILLET 2009
Tatouées sur le cœur